Dw i Eisiau Bod yn Enwog

Meleri Wyn James

Cyhoeddwyd gan © Atebol Cyfyngedig 2010

Cyhoeddwyd yn 2010 gan Atebol Cyfyngedig, Adeiladau'r Fagwyr,
Llanfihangel Genau'r Glyn, Aberystwyth, Ceredigion SY24 5AQ
01970 832 172
www.atebol.com

ISBN : 978-1-907004-34-6

Golygwyd gan Eirian Jones a Glyn Saunders Jones
Dyluniwyd gan Stiwdio Ceri Jones, stiwdio@ceri-talybont.com
Gwaith celf gwreiddiol gan Roger Bowles
Noddwyd gan Lywodraeth Cynulliad Cymru
Argraffwyd gan Wasg Gomer, Llandysul, Ceredigion

Cydnabyddiaethau
Hoffai'r awdur a'r cyhoeddwr ddiolch i'r canlynol am eu caniatâd i atgynhyrchu'r lluniau a'r deunydd hawlfraint yn y llyfr hwn.

Capital Pictures: tud. 3, tud. 10, tud. 11, tud. 34
FilmMagic: tud. 27
Getty Images: tud. 5 (top chwith a gwaelod chwith), tud. 6, tud. 7, tud. 10,
tud. 12, tud. 13, tud. 18, tud. 21 (y ddau lun), tud. 22 (prif lun), tud. 24 (gwaelod),
tud. 25 (pedwar llun), tud. 26, tud. 28 (top a gwaelod dde), tud. 31, tud. 34, tud. 35, tud. 36
Keith Morris: tud. 15
Mary Evans Picture Library: tud. 30
S4C: tud. 8, tud. 9 (dau lun), tud. 14, tud. 15, tud. 20, tud. 24 (top)
Wire IMAGE: tud. 19, tud. 22 (gwaelod dde), tud. 23, tud. 28 (gwaelod chwith), tud. 29

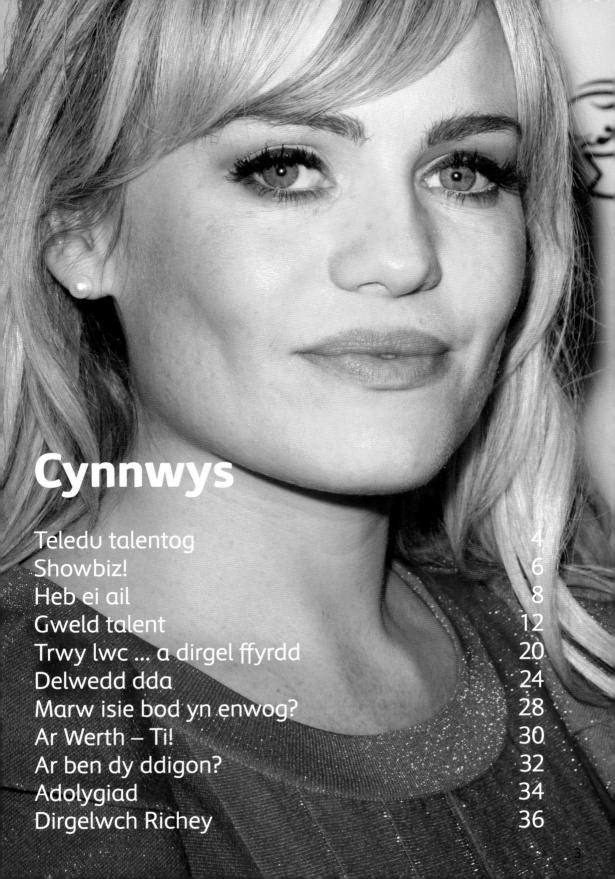

Cynnwys

Teledu talentog   4
Showbiz!   6
Heb ei ail   8
Gweld talent   12
Trwy lwc ... a dirgel ffyrdd   20
Delwedd dda   24
Marw isie bod yn enwog?   28
Ar Werth – Ti!   30
Ar ben dy ddigon?   32
Adolygiad   34
Dirgelwch Richey   36

Teledu talentog

Mae sioeau talent yn ffordd o ffeindio talent newydd ym Mhrydain ers yr 1960au. Mae wedi rhoi hwb i fwy nag un gyrfa lwyddiannus.

Mae byd cerddoriaeth yn newid yn gyflym. Mae cerddoriaeth yn newid trwy'r amser. Diflannodd **Top of the Pops** o BBC1. Daeth caneuon wedi'u lawrlwytho i foddi sain y siart senglau yn 2004.

Cafodd y *Spice Girls* eu ffurfio ar ôl ateb hysbyseb papur newydd. Nawr, mae sioeau talent yn ffordd o ffeindio gwaed newydd.

Shaheen Jafargholi yn canu yn y gwasanaeth coffa i Michael Jackson yn Los Angeles yn 2009. Mae Shaheen yn dod o dde Cymru.

Cymry'n gwneud sioe

Mae nifer o Gymry wedi dod yn enwog diolch i sioeau talent ar deledu.
Ond pwy oedd yr enillydd cyntaf o Gymru ... ?
Mary Hopkin o Bontardawe oedd ei henw. Hi enillodd **Opportunity Knocks** yn yr 1960au. Hi oedd un o'r artistiaid cyntaf i recordio ar label Apple, sef label y Beatles ac aeth ei sengl *'Those Were The Days'* i rif un yn y siartiau pop.
Cafodd yrfa hir a rhyddhau albwm o'r enw *'Valentine'* ar ei phen-blwydd yn 57 oed.

Barn y beirniaid
Llais neis ... methu danso.
Gallu danso ... ffaelu canu.
Edrych fel Shrek ac yn
canu fel cnec.
Tipyn o jocar ond yn
stiff fel pocer.

O wefan sioe dalent
Waw Ffactor (S4C).

Sue Pollard – enwog am wisgo sbectol fawr a chwarae morwyn yn y rhaglen gomedi **Hi-de-Hi**! Daeth yn ail i gi ar **Opportunity Knocks**.

Yr un hen gân

Dechreuodd **Opportunity Knocks** ar radio BBC yn 1949 ac ar deledu ITV yn 1956.
   Roedd gwylwyr yn anfon enwau eu ffefrynnau trwy'r post a'r canlyniad yn cael ei gyhoeddi'r wythnos ganlynol.
   Dechreuodd y bleidlais ffôn pan ddaeth **Opportunity Knocks** yn ôl ar y teledu ar ddiwedd yr 1980au, ar y BBC y tro hwn.

'Dw i ddim yn eich adnabod chi – dw i wedi newid.'
Oscar Wilde

Showbiz!

Gall cymryd rhan mewn sioe dalent fod yn brofiad da ... ac yn siom fawr ...

Y gwych

Roedd Syr Andrew Lloyd Webber yn chwilio am rywun ... cantores dalentog i chwarae rhan Maria yn y sioe gerdd **The Sound of Music** yn y West End. Ffeindiodd e hi? Do, a'i henw oedd Connie Fisher. Mae Connie yn siarad Cymraeg ac yn dod o ardal Hwlffordd yn Sir Benfro. Dechreuodd fagu hyder i berfformio drwy gystadlu mewn Eisteddfodau.

Cyngor Connie Fisher

- Dyfalbarhau ... Aeth Connie i ddegau o glyweliadau yn y West End cyn y rhaglen **How Do You Solve a Problem Like Maria**. Roedd hi'n dod i'r ddau olaf yn aml, ond byth yn cael y rhan.
- Ymarfer ... Ei diddordebau ydy canu, canu a chanu!
- Parodrwydd i drio pethau gwahanol ... Mae cadw'n ffit yn helpu gyda'r canu ... ond dydy hi ddim yn mwynhau hynny.

'Pan o'n i'n wyth oed sylwodd mam-gu 'mod i'n gallu canu. Ddysgodd hi i mi ganu *Supercalafragilisticexpialidocious* mewn sioe leol.'

Profiad
Rhydian Roberts

- Roedd Rhydian Roberts o Bontsenni yn ffeinal yr **X Factor** yn 2007. Ond nid pawb oedd yn ffan.

Roedd Sharon Osborne yn ei feirniadu'n hallt o flaen y camerâu ... a doedd tad Rhydian Roberts ddim yn hapus ... !

'Yn breifat, mae hi'n dweud ei fod e'n canu'n fendigedig,' meddai Malcolm, wrth bapur newydd, *The News of the World*.

'Mae Rhydian yn ddyn ifanc ac mae hynny'n ei frifo, yn ddiangen.'

Aeth Rhydian ymlaen i ryddhau albwm yn 2008 a 2009 a chael canmoliaeth uchel gan Simon Cowell.

Ta-ta Tara!
Tara Bethan

- Mae Tara Bethan, o Sir Ddinbych, wedi bod yn canu a dawnsio mewn Eisteddfodau bach a mawr ers ei bod yn ferch fach. Ond cafodd ei hel o'r rhaglen **I'd Do Anything** ar BBC1 yn wythnos tri.

Roedd hi'n falch achos roedd pwysau i berfformio, meddai wrth y *Western Mail*.

'Aeth fy wythnos gyntaf a'r drydedd ddim yn rhy wych. Dywedodd Andrew Lloyd Webber fy mod i'n 'poppy Tara', ond dywedwyd wrtha i am ganu'r caneuon yna.' O fewn dim roedd wedi cael prif ran mewn sioe gerdd – fel yr Adroddwr yn **Joseph**.

Heb ei ail

Dod yn gyntaf sy'n cyfrif. Dyna mae'r rhan fwyaf o bobl yn ei gredu. Ond, ydy hi'n well bod yn ail, weithiau?

Y rhaglen deledu gyntaf i chwilio am bobl ifanc i ffurfio band newydd oedd **Popstars**. Cafodd pump canwr ifanc eu dewis i'r grŵp Hear'Say yn 2001. Noel Sullivan, o Gaerdydd, oedd un ohonyn nhw.

Ai dyna'r diwedd? Na, mae aelodau o'r band yn dal i weithio – yn actio, cyflwyno a pherfformio.

Molly King

Duffy

Aeth *Rockferry*, albwm gyntaf Duffy, i rif un yn y siartiau pop yn 2008. Ond pan oedd y gantores ifanc Aimee Duffy, o Fangor, Gwynedd, ar y **Waw Ffactor** yn 2003, ail oedd hi.

Pa fath o lwyddiant sydd orau? Gyrfa ddisglair iawn sydd ddim yn para'n hir? Neu, llwyddiant llai sy'n para blynyddoedd?

Meddai Duffy

'Efallai mai'r peth pwysicaf oll yw mwynhau pob eiliad!'

Siomedig

Wyt ti'n gollwr da?
Mae'r ffordd rwyt ti'n ymateb yn dweud llawer amdanat ti. Felly, llynca dy falchder a bydda'n barod i wenu a dweud, "Llongyfarchiadau".

Mae hyd yn oed y gorau'n methu, weithiau. Dyna pryd mae cael cefnogaeth teulu, ffrindiau ac athrawon werth y byd.
Daw'r gair 'Mentor' o fytholeg Groegaidd, yn wreiddiol. Heddiw, mae e'n golygu ffrind neu athro sy'n rhoi cyngor ac mae 'cynlluniau mentora' mewn ysgolion ac yn y gweithle.

Mae stori Helen Keller yn adnabyddus trwy'r byd. Cafodd ei geni'n ddall a byddar yn Alabama, UDA yn 1880. Bu'n byw yn ei byd bach ei hun am flynyddoedd nes i'w hathrawes, Annie Sullivan, ddysgu cyfathrebu â hi. Daeth Helen yn awdures ac roedd hi'n ymgyrchu dros hawliau merched ac yn erbyn rhyfel.

'Peidiwch â chymysgu enwogrwydd â llwyddiant. Madonna yw un; Helen Keller yw'r llall.'
Erma Bombeck

Madonna

Clic!

Os ydy rhywun yn colli mewn Eisteddfod ar ôl perfformio'n dda, dywedir iddo 'gael cam'. Aelod o'i deulu sy'n dweud hynny fel arfer!

Gweld talent

Un peth ydy talent. Peth arall ydy ei ddangos i eraill.
Mae miloedd o bobl yn 'canu yn y bath' neu'n 'breuddwydio am sgrifennu nofel'. Ond faint o bobl sy'n llwyddo i wneud bywoliaeth o gerddoriaeth neu ysgrifennu?
Dydy dweud ddim yr un peth â gwneud, bob amser.

Only Men Alouc

Mae llawer o gyfleoedd i ddangos dawn:
- O flaen teulu a ffrindiau
- Capel neu Eglwys
- Ysgol
- Clwb
- Urdd Gobaith Cymru neu Glwb Ffermwyr Ifanc
- Athro preifat
- Côr, cerddorfa neu dîm – ar lefel sir neu trwy Gymru gyfan
- Ysgol Berfformio

Ysgolion perfformio ar gynnydd

Ysgol Glanaethwy

Mae Cymru ar y blaen yn cynnig cyfleoedd i bobl ifanc.

Mae ysgolion perfformio a theatrau ieuenctid ar gynnydd ac yn codi safon mewn canu, dawnsio ac actio.

Mae aelodau ifanc yn cymryd rhan mewn sioeau, cystadlu yn Eisteddfod yr Urdd neu gyda'r Ffermwyr Ifanc a chael rhannau ar raglenni teledu.

Y gyntaf a'r enwocaf ydy Ysgol Glanaethwy ym Mangor, Gwynedd. Cafodd ei sefydlu yn 1990 gan Cefin Roberts a'i wraig Rhian.

Daeth y côr yn ail yn **Last Choir Standing** ar BBC1.

Mae ysgolion perfformio trwy Gymru erbyn hyn. Ymhlith y mwyaf mae Ysgol Berfformio Dyffryn Tywi a Ffwrnais Awen, Caerdydd gyda tua 80 o aelodau. Mae theatrau ieuenctid ym Maldwyn, Conwy ac Ynys Môn.

Mae Theatr Genedlaethol yr Urdd yn cyfarfod yn rheolaidd yn y gogledd, y canolbarth a'r de. Maen nhw'n perfformio'n gyson a gwneud sioe genedlaethol bob pedair mlynedd yn Eisteddfod yr Urdd – maen nhw wedi perfformio sioeau fel **Les Misérables** a **Ffawd**.

Nid cystadleuaeth ydy popeth. Mae disgyblion yn diolch am gyfle i wneud ffrindiau a rhannu diddordebau.

Cythraul canu?

Stopiodd Ysgol Glanaethwy gystadlu yn yr Urdd ar ôl i bobl gwyno eu bod yn 'rhy broffesiynol'. Onid yw codi safon perfformio yng Nghymru yn beth da?

Gwynt teg?

Dydy cystadlaethau byth yn hollol deg.
'Mae rhai pobl yn well nag eraill,' ydy'r neges.
Sefydlwyd y Gemau Olympaidd yng Ngwlad Groeg. Roedd enillwyr yn cael eu hanfarwoli mewn cerddi a cherfluniau. Un o'r cystadleuwyr enwocaf o Brydain ydy Eddie *'The Eagle'* Edwards. Mae Eddie'n enwog am ddod yn olaf a chafodd ffilm ei wneud am ei fywyd.

Geiriau

Os oes elfen o annhegwch mewn cystadleuaeth, dywedir bod creadur bach o'r enw'r 'cythraul canu' ar waith.

Shirley Temple

Dechrau'n ifanc

Shirley Temple

Dim ond tair a hanner oed oedd Shirley Temple pan gafodd ei rhan gyntaf mewn ffilm.

Daeth yn seren fwyaf Hollywood yn yr 1930au a dywedodd yr Arlywydd Roosevelt bethau mawr amdani – 'Os oes gan ein gwlad Shirley Temple, byddwn ni'n ocê.'

Gwion Jones

'Pan glywais i, o'n i'n meddwl 'mod i'n breuddwydio.'

'Ges i'r cwtsh mwyaf 'da Mam ac o'n i'n ffaelu anadlu.'

Gwion Jones, siaradwr Cymraeg, 11 oed o Sir Gaerfyrddin, ar ennill rhan Oliver ar y rhaglen, **I'd Do Anything**, 2007.

Dim More!

Roedd Drew Barrymore yn saith oed yn **E.T.**, un o ffilmiau mwyaf yr 80au.

Mae hi'r un mor enwog heddiw am broblemau alcohol a chyffuriau.

Lena Zavaroni oedd yr ifancaf erioed i gael albwm yn neg uchaf siartiau Prydain. Bu farw o anorecsia yn 35 oed.

Drew Barrymore

Rownd a Rownd – Y Rheolau

Rhaid i actorion ifanc **Rownd a Rownd** ddilyn rheolau pendant oherwydd eu hoedran nhw ...

- Mae actorion o dan 17 oed yn gorfod cael trwydded berfformio gan y cyngor sir.
- Mae oriau gwaith yn dibynnu ar oedran. O dan 5 oed – 5 awr y dydd. 6-12 oed – 7 awr a hanner; 13-16 oed – wyth awr.
- Mae'r 'amser gweithio' yn dechrau unwaith y maen nhw tu allan i'r cartref. Daw un actor o Borthmadog ac mae'n colli awr a hanner o oriau stiwdio'n teithio bob dydd.
- Wrth ffilmio'n Llundain roedd rhaid cael trwydded berfformio ychwanegol gan y cyngor lleol.
- Rhaid cadw at amserlenni'n ofalus – does dim hawl colli pnawn o wersi Cymraeg dau ddydd Llun ar ôl ei gilydd!
- Os yw gwaith ysgol yn dioddef mae criw **Rownd a Rownd** yn trio datrys y broblem yn syth.
- Rhaid i bob ecstra ifanc gael trwydded hefyd. Wrth ffilmio golygfa yn yr ysgol, rhaid cael 300 trwydded!

Shaun Murphy

Clic!

Mae mwy o fodelau ifanc na pherfformwyr yn cael trwyddedau gan gynghorau siroedd Gwynedd a Môn.

Enillodd y Sais Shaun Murphy bencampwriaeth snwcer y byd. Wyth oed oedd e pan gafodd giw snwcer yn anrheg. Bu'n ymarfer yn galed fel aelod o glwb a gwnaeth brêc o 100 am y tro cyntaf yn 10 oed.

George Sampson

Aeth George Sampson, sy'n 14 oed, o sefyll ar lwyfan i sefyll arholiad. Enillodd y sioe **Britain's Got Talent** am ddawnsio, cyn ei arholiad TGAU cerddoriaeth.

Trwy lwc ...
a dirgel ffyrdd

Peaches Geldof

Un diwrnod, roedd merch ddel yn cerdded i lawr y stryd. Cafodd ei gweld a dod yn fodel lwyddiannus.

Ond, beth petai'r ferch wedi aros gartref y diwrnod hwnnw?

Mae angen talent i gael gyrfa dda. Ond mae lwc yn bwysig hefyd.

Mae Peaches Geldof yn ferch lwcus iawn.

Daeth yn olygydd cylchgrawn yn y rhaglen deledu **Disappear Here** yn 2008 ... Ond doedd y beirniaid ddim yn ei hoffi.

Siom ddwbl i'w thad, Bob Geldof 'te? Ei gwmni e oedd yn gwneud y rhaglen.

Bob Geldof a Peaches

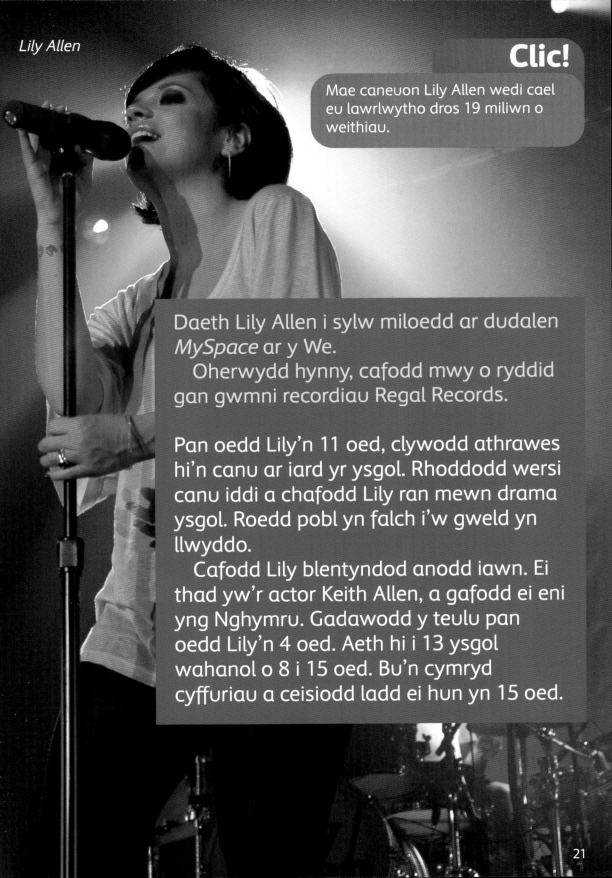

Lily Allen

Mae caneuon Lily Allen wedi cael eu lawrlwytho dros 19 miliwn o weithiau.

Daeth Lily Allen i sylw miloedd ar dudalen *MySpace* ar y We.

Oherwydd hynny, cafodd mwy o ryddid gan gwmni recordiau Regal Records.

Pan oedd Lily'n 11 oed, clywodd athrawes hi'n canu ar iard yr ysgol. Rhoddodd wersi canu iddi a chafodd Lily ran mewn drama ysgol. Roedd pobl yn falch i'w gweld yn llwyddo.

Cafodd Lily blentyndod anodd iawn. Ei thad yw'r actor Keith Allen, a gafodd ei eni yng Nghymru. Gadawodd y teulu pan oedd Lily'n 4 oed. Aeth hi i 13 ysgol wahanol o 8 i 15 oed. Bu'n cymryd cyffuriau a ceisiodd ladd ei hun yn 15 oed.

Talent arall

Nid cantorion yn unig sy'n dod yn enwog ar raglenni teledu ...

Casa Dudley, The Restaurant, Masterchef

Ennill sydd ar y fwydlen mewn cystadlaethau poeth i gogyddion.

Britain's Next Top Model

Pwy fydd Kate Moss nesaf Prydain? Model o raglen sy'n rhoi pobl berffaith o flaen y camera.

Dragon's Den

Teclyn i ferwi wy perffaith ... a phethau difyr eraill! Pobl gyffredin sy'n dangos dyfeisiadau i bobl busnes gydag arian i'w fuddsoddi ... a dannedd!

Syr Alan Sugar

The Apprentice Mentro mae'r criw ifanc yma eisiau gwneud ... wrth wynebu sialens ... a Syr Alan Sugar!

Strictly Come Dancing a **Dancing on Ice** Cyfle i weld pobl enwog yn dysgu symud gyda help dawnswyr a sglefrwyr proffesiynol a beirniaid cegog.

I'm a Celebrity Get Me Out of Here! Ro'n nhw'n enwog ar un adeg ... a bydden nhw'n hoffi dod yn enwog eto – ac maen nhw'n fodlon mynd i'r jyngl i brofi hynny.

Pa dalent sydd gan gystadleuwyr **Big Brother** ar Channel 4? Dim byd ... Neu, y gallu i ddangos eu hunain?

Bruce Forsyth

Glyn Wise ac Imogen Thomas

Clic!

Roedd Bonnie Langford yn cael digon o waith actio fel plentyn yn yr 1970au. Cafodd ail gyfle ar ôl gwneud yn dda ar **Dancing on Ice**.

Delwedd dda

Jonas Brothers

Llongyfarchiadau! Rwyt ti wedi dod i sylw cwmni mawr ac maen nhw eisiau dy wneud ti'n seren.

Byddi di'n cael help i feithrin dy dalent ...
- Gwersi canu ... actio ... dawnsio
- Sesiynau llais a chodi hyder
- Cadw'n heini yn y gampfa
- Cyngor ar sut i ddelio gyda phobl ... y wasg, yn arbennig.

Roedd band y Jonas Brothers yn gyrru merched ifanc yn wyllt ond roedd ganddyn nhw ddelwedd lân iawn.

'Mae'n well gen i beidio â siarad am y modrwyau purdeb os yw hynny'n iawn. Os allen ni ganolbwyntio ar y gerddoriaeth ...' Kevin Jonas.

'Aw! Syth o hyfforddiant mewn delio â'r cyfryngau.' Chrissy Iley yn ei gyfweld i'r *Sunday Times*.

Fel tun o ffa pob, siocled neu bowdr golchi ... ti yw eu cynnyrch newydd nhw. Felly, rhaid i ti gael delwedd dda.

Maen nhw'n dy hoffi. Ond, byddan nhw eisiau newid ...
- Gwallt
- Colur
- Dillad
- Siâp corff
- Personoliaeth

Mae gan un gantores enwog ddwy bersonoliaeth. Beyonce ydy'r ferch swil ... a Sasha Fierce sy'n perfformio ar lwyfan.

Beyonce

Clic!

Mae sawl hwyaden hyll wedi troi'n alarch hardd ... gyda help tylwythen deg o'r enw 'llawdriniaeth gosmetig'. Ond shshsh! Maen nhw i gyd yn gwadu hyn.

Katherine Jenkins a Faryl Smith

Ffordd Faryl

'Mae ganddi lais operatig arbennig,' meddai Simon Cowell ar **Britain's Got Talent**. Ond mae teulu Faryl Smith, sy'n 12 oed, wedi gwrthod sawl cytundeb recordio.

'Mae galw mawr amdani a ry'n ni eisiau gwneud pethau yn ein ffordd ni,' meddai ei thad, Tony Smith.

Ar ôl y sioe fawr ar ITV1, daeth Faryl i ganu o flaen cynulleidfa fach ger Castell Newydd Emlyn i gael profiad.

Ar eu gorau!

Cheryl Cole

Realiti!

Celwydd y camera

Wyt ti eisiau coesau hir, tenau?

Doedd Kate Winslet ddim! Roedd hi'n flin iawn gyda chylchgrawn *GQ* a chwyno bod nhw wedi newid ei chorff.

Yn ôl Dylan Jones, Cymro a Golygydd *GQ:*

'Ry'n ni'n gwneud hynny i bawb o faint chwech i faint 12. Mae bron i bob llun ry'ch chi'n ei weld mewn cylchgrawn wedi ei newid yn ddigidol.'

Marw isie bod yn enwog?

Kurt Cobain ... Heath Ledger ... Anne Frank ...
Marilyn Monroe ... J.F. Kennedy ... Martin Luther King.

Pob un wedi marw'n ifanc. Pob un wedi marw mewn amgylchiadau trasig. Pob un yn enwog pan oedden nhw byw ... ac yn enwog o hyd.

Kurt Cobain oedd prif leisydd y band Nirvana. Mae eu cân nhw, *'Smells Like Teen Spirit'* wedi dod yn anthem i bobl ifanc.

Roedd gan Cobain broblem cyffuriau ac roedd ei fywyd yn syrcas gyda ffotograffwyr yn ei ddilyn i bob man.

Bu farw o anaf gan wn i'w ben a chredir iddo saethu ei hun. Daeth yn fwy enwog ar ôl iddo farw nag yn ystod ei oes.

Mae sawl rheswm pam mae pobl sy'n marw'n ifanc yn parhau yn enwog.

Mae pobl yn hoffi storïau personol trist ... dirgelion ... a ieuenctid. Mae marwolaeth yn rhewi ieuenctid mewn amser am byth.

Heath Ledger

Daeth miloedd o ffans i dalu teyrnged i Heath Ledger ar ôl ei farwolaeth sydyn. Bu farw'r actor ifanc ar ôl cymryd gormod o gyffuriau presgripsiwn yn ddamweiniol. Ei rôl actio olaf oedd fel y *Joker* yn y ffilm *Batman, Dark Knight*.

'... fy nod mewn bywyd ydy gwneud cymaint o luniau da ag y gallaf.'
Vincent Van Gogh

Vincent Van Goch ydy un o artistiaid enwocaf y byd. Ond dim ond un llun werthodd Van Gogh pan oedd e byw – *Red Vineyard* yn 1890 am 400 ffranc.

Erbyn hyn, mae ei luniau'n werthfawr iawn. Gwerthodd *Irises* am 27 miliwn o bunnoedd yn 1987.

James Dean

'Byw bywyd i'r eithaf. Marw'n ifanc. Bydd dy gorff yn hardd am byth.' Mae'r geiriau hyn yn fwy enwog na'r dyn ei hun. James Dean, actor o'r 50au ddywedodd nhw. Bu farw mewn damwain car yn 24 oed. Ond mae'n cael ei gofio o hyd fel rebel ifanc yn y ffilm, *Rebel Without a Cause*.

Clic!

Ers dechrau 2007 mae nifer anghyffredin o bobl ifanc wedi lladd eu hunain yn ne Cymru. Roedd rhai'n adnabod ei gilydd. Roedd eraill heb adael nodyn.

Roedd pawb yn chwilio am atebion a'r wasg yn cael y bai.

'Efallai fod pobl ifanc yn copïo ei gilydd, ac mae'r We'n darged tebygol,' yn ôl un gweithiwr cymdeithasol.

Mae diweithdra'n uchel yn yr ardal, ac ydy pobl ifanc yn chwilio am fawredd ymysg eu ffrindiau?

Yn ôl un plismon lleol: 'Maen nhw'n meddwl ei fod e'n cŵl i gael gwefan yn talu teyrnged.'

Ar Werth – Ti!

Faust

Pa mor bell fyddet ti'n mynd i gael beth rwyt ti eisiau?

Roedd Faust yn fodlon mynd i'r eithaf.

Pwy oedd e? Dyn mewn stori a werthodd ei enaid i'r diafol. Pam? I gael gwybodaeth.

Mae'r stori o lên gwerin Yr Almaen wedi ysbrydoli llawer o artistiaid. Stori Faust sydd yn y ffilm **Bedazzled** ble mae Elizabeth Hurley yn chwarae rhan y diafol.

Mae'r hanes wedi newid dros y canrifoedd. Erbyn hyn, mae Faust yn disgrifio person uchelgeisiol sy'n fodlon gwneud unrhyw beth i

Talent. Oes. Delwedd. Oes. Beth sydd nesaf, 'te? Wel, dy werthu di. Mae cwmnïau'n gwario miloedd o bunnoedd ar farchnata eu hartistiaid gorau. **Mae dulliau marchnata'n cynnwys:**

- Hysbysebion
- Cyfweliadau
- Teledu
- Radio
- Y We
- Cylchgronau a phapurau newydd
- Gigs bach mewn ysgolion neu fannau cyhoeddus e.e. canolfannau siopa
- Ymddangos mewn clybiau nos
- Datganiadau i'r wasg
- Cynadleddau i'r wasg
- Posteri
- Nwyddau

Rhaid i ti fod yn barod i wrando ar farn pobl eraill ... a phenderfynu drosot dy hun a yw'n farn teg neu beidio.

Mae cystadleuwyr yr **X Factor** yn gorfod gwrando ar farn y beirniaid o flaen cynulleidfa fyw ... a miloedd o bobl adre ...

Simon Cowell

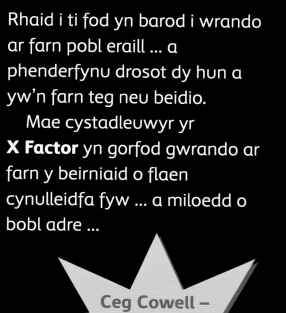

Ceg Cowell –
Y da
'Ti oedd piau'r gân yna.'
'Roedd y perfformiad yna o safon byd-eang.'

Ceg Cowell –
Y drwg
'Roedd gen ti broblemau tiwnio.'
'Cabaret iawn! Canu ar longau pleser ydy dy fyd di!'

'Beth ydy fy fformiwla i ar gyfer llwyddiant? Codi'n gynnar, gweithio'n hwyr a tharo'r olew.'
– Paul Getty

Ar ben dy ddigon?

Ar y dechrau, rwyt ti angen cyhoeddusrwydd. Rhaid siarad am dy waith yn gyhoeddus.
Rwyt ti'n dod yn enwog. Mae miloedd o bobl eisiau gwybod am dy waith di ... a dy fywyd personol.

Mae'r wasg a'r cyfryngau'n gwerthu straeon amdanat ... dim ond rhai sy'n wir. Dwyt ti ddim yn gallu rheoli hynny.

Tro nesaf rwyt ti eisiau gwerthu rhaglen, ffilm neu gân rhaid gofyn am help y cyfryngau.

Rwyt ti eu hangen nhw ac maen nhw dy angen di. Mae'n gylch dieflig.

Daw llwyddiant a chyfoeth yn sgil enwogrwydd ... a phethau drwg hefyd:

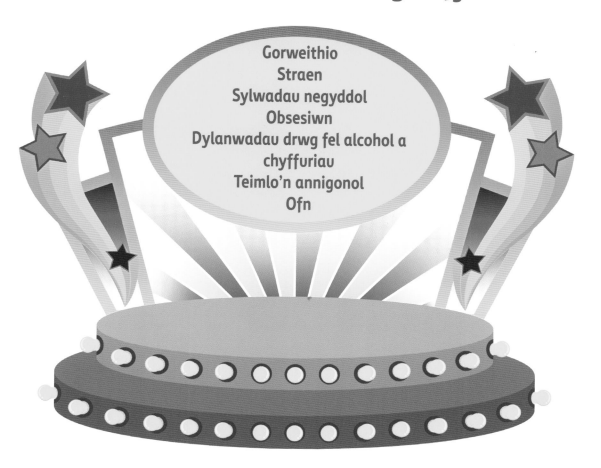

Gorweithio
Straen
Sylwadau negyddol
Obsesiwn
Dylanwadau drwg fel alcohol a chyffuriau
Teimlo'n annigonol
Ofn

Strictly Come Dancing – Goreuon y beirniaid

'Fe ddawnsiais ti'r tango fel tad ar ôl cwpl o beints.'
Bruno Tonioli i John Sergeant, newyddiadurwr

'Bach yn gomon. Lympiog iawn.'
Craig Revel Horwood i Phil Daniels, actor

'Ro'n i'n gweddïo drosot ti'r holl ffordd trwy'r rwtîn.'
Craig i Gary Rhodes, cogydd

'Gallwch ein cymharu ni â gwleidydd neu warden traffig. Fyddwn i ddim yn ymddiried mewn newyddiadurwr.' – Piers Morgan, cyn-olygydd

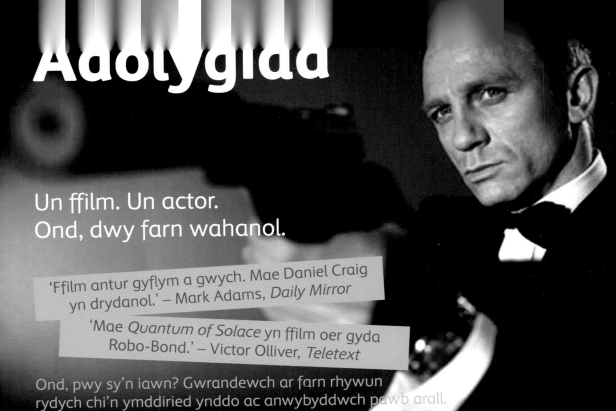

Adolygiad

Un ffilm. Un actor.
Ond, dwy farn wahanol.

'Ffilm antur gyflym a gwych. Mae Daniel Craig yn drydanol.' – Mark Adams, *Daily Mirror*

'Mae *Quantum of Solace* yn ffilm oer gyda Robo-Bond.' – Victor Olliver, *Teletext*

Ond, pwy sy'n iawn? Gwrandewch ar farn rhywun rydych chi'n ymddiried ynddo ac anwybyddwch pawb arall.

Daniel Craig

Ffans – tastig?

Mae ffans yn cadw pobl enwog ar y brig.

Ond, gall diddordeb droi'n obsesiwn.

Mae stelciwr yn berson sydd â diddordeb obsesiynol mewn person arall ... yn eu gwylio nhw ... cysylltu â nhw ... eu dilyn nhw ...

Mae hynny'n drosedd a gallai rhai sy'n euog fynd i'r carchar am 6 mis.

Cafodd Catherine Zeta-Jones ei bygwth gan ffan ag obsesiwn am ei gŵr, Michael Douglas.

Cafodd John Lennon, o'r grŵp pop *The Beatles*, ei ladd gan stelciwr.

Clic!

Pan chwalodd y grŵp *Take That* yn 1996, bu ffans yn ffonio Childline am help.

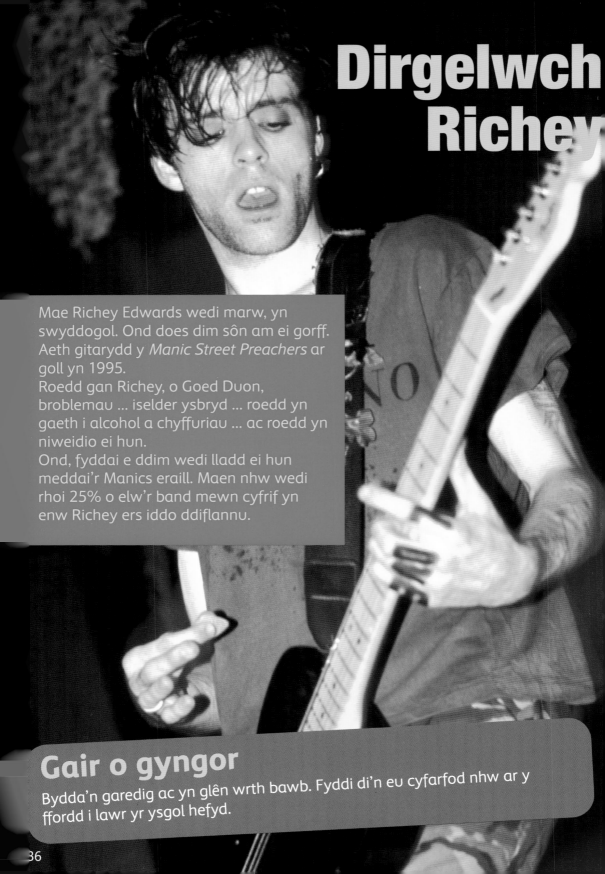

Dirgelwch Richey

Mae Richey Edwards wedi marw, yn swyddogol. Ond does dim sôn am ei gorff. Aeth gitarydd y *Manic Street Preachers* ar goll yn 1995.

Roedd gan Richey, o Goed Duon, broblemau ... iselder ysbryd ... roedd yn gaeth i alcohol a chyffuriau ... ac roedd yn niweidio ei hun.

Ond, fyddai e ddim wedi lladd ei hun meddai'r Manics eraill. Maen nhw wedi rhoi 25% o elw'r band mewn cyfrif yn enw Richey ers iddo ddiflannu.

Gair o gyngor

Bydda'n garedig ac yn glên wrth bawb. Fyddi di'n eu cyfarfod nhw ar y ffordd i lawr yr ysgol hefyd.